KB199269

내 빛들로 별자리를 엮을

당신에게

공감시인선 67
내 빛들로 별자리를 엮을 당신에게

지은이_ 박하은

발 행 인_ 이도훈
펴 낸 곳_ 파란하늘
초판발행_ 2025년 1월 6일

사무실_ 서울시 서초구 법원로3길 19, 2층 W109호
(서초동, 양지원빌딩)
전 화_ 02) 595-4621
팩 스_ 0504-227-4621
이메일_ flyhun9@naver.com
홈페이지_ www.dohun.kr

ISBN_ 979-11-990509-0-7 03810
정가_ 10,000원

박 하 은 시집

내 빛들로 별자리를 엮을 당신에게

파란하늘

시인의 말

홀로 외쳐보던 고백들을 여러분에게 드리니,

편한 마음으로 받아 주셨으면 합니다.

마음을 담은 고백에는 달리 정답이 없고,

그저 대답만이 돌아올 뿐이기에...

2024년 12월
감사한 마음을 담아
박하은

차례

1부 어른이라는 신화

2부 눈동자가 세계라면 눈은 곧 우주

3부 2인칭 단수의 유사어, 사랑

4부 바람 같은 기도

에필로그

해설 : 괴롭고 아름다운 순간들, 벌써

1부

어른이라는 신화

어른이라는 신화
어른으로의 진화
무엇보다, 아이들을 위해 지은
어른이란 제목의 동화

아기

아기가 엄마 품에 안겨 울고 있다.

엄마는 괜찮다, 괜찮다 하고

아기는 계속 서럽게 울고 있다.

세상과 부딪혀 살고

인생을 맞대고 살아도

여전히

밤이 와

나 혼자 서 있을 때면

어릴 적

업어 주시고 달래 주시던

엄마의

아빠의

할머니, 할아버지의

괜찮다, 괜찮다 어르는 소리

다시 한번 듣고 싶다.

혼자 우는 법을 배우고
혼자 견디는 법을 배워도
나는 여전히 품에 안겨 빽-빽- 서럽게 우는
어린 아기인가 보다.

아기가
엄마 품에 안겨
울고 있다.

기적 소리

수많은 기차들이 오고 가는 기차역
손에 든 가방은 가볍기만 하다
이리로 갈까, 저리로 갈까
탔다 내렸다 올라갔다 내려갔다
고민하는 틈에 떠나버린 기차
기차 기적소리

해가 지고 밤이 올 때까지
기적 소리만 귀에 먹먹하다
떠나버리는 기차,
흔드는 손.
수많은 기차들이 오고 가는 기차역
손에 든 가방은 무겁기만 하다

눈물과 함께 흘려보내지 못한 후회 위로

마침내 해가 뜬다.

차가운 공기위로 울려 퍼지는

어딘가 먼 곳에서 전해져 오는 소리

기차 기적 소리.

아직 끝나지 않았음을 알려주는

기차 기적 소리

무게

마음속 어느 곳에
오늘도 어둠은 오나 보다.
튼튼한 실로 여러 번 꿰매도
마음의 상처에는 여전히 틈이 남아 있나 보다.

주먹만 한 내 심장에
어제 일, 오늘 일, 내일 일까지 다 밀려들어 온다.

무거운 쇳덩어리 밑에 애처롭게 눌려 있는 내 심장
아직도 뛸 힘이 남아 있을까.

후회와 근심의 무거운 공기로 꽉 차 있는 내 폐
아직도 숨 쉴 힘 남아 있을까.

우리 인생의 안경 속에 비친 세상은

무겁게 우리 등을 누르는 거대한 창공과
넘어질 때마다 무릎이 까지고
발에서 피가 나게 하는 딱딱한 바닥밖에 없는지라
난 오늘도 똑같은 희망을 품고 산다.

지금 내 심장을 짓누르는 쇳덩어리의 무게가
사랑과 희망의 무게라면 좋겠다고.
지금 내 등을 짓누르는 하늘이
언젠가 활짝 열려
당당히 핀 내 등에
영광의 무게를 달아주면 좋겠다고.

땅이 열리고 하늘이 열리는 그날까지
내 모든 맥박이
내 모든 숨이

기대와 확신의 무게로

저 하늘까지 날아올랐으면 좋겠다고.

얼굴

어떤 때에는 비가 내리고
또 날이 개어 해가 나고
어떤 날에는 하늘이 맑고
어떤 날에는 구름이 앞을 가리듯이
사람의 얼굴도 항상 변한다.
마음을 훔쳐볼 수 있는 창문,
날씨만큼이나 변화무쌍한 얼굴.

그러나 우리는 알 수 없다.
맑게 빛나는 눈동자에 어떤 비수가 서려 있을지
꽁꽁 얼은 입가에 어떤 미소가 피어났는지
높이 쳐든 목에 어떤 고독이 털실처럼 감기는지
그 비밀을 알고 싶어 열심히 들여다보지만
사람들의 얼굴은
무장한 로마 군인의 헬멧을 쓰고 있다.

혹 걱정이 된다
구멍 난 사람들의 마음이
거짓과 외면으로만 메꾸어지지 않았을까.
사랑과 기쁨으로 흘러야 할 샘에
차가운 눈물만 흐르고 있지 않을까
계속 그 마음에 신호를 보내지만
얼굴에는 감감무소식이라 쓰여 있다.

어쩌면 얼굴은 마음의 창이 아닌
마음의 베일인지도 모른다.
그 얇은 베일의 좁은 틈새 사이로
우린 사람의 마음을 살며시 엿본다.
우리가 전부 다 헤아려 볼 순 없어도
황량한 광야 같은 가슴속에 한 줄기 풀잎이

솟아오르고 있음을 믿는다.
차가운 얼음장 위로
따스한 강줄기가 흐르고 있음을 믿는다.

그래서 우리는 더더욱
깜깜한 사람들의 가슴속에
밝은 한 올의 햇살이 비치길 기대한다.

시

바람처럼

햇살처럼

달빛처럼

부드럽게 다독이는 너 그런 글 되어라.

꽃처럼

불꽃처럼

한여름의 사랑처럼

열정으로 타오르는 너 그런 글 되어라.

천둥처럼

우레처럼

솟아오른 파도처럼

온 세상 뒤흔드는 너 그런 글 되어라.

한 글자 한 글자 지나갈 때마다
사람의 가슴속에 내려앉는
한 문장 한 문장 읽어 나갈 때마다
사람을 웃기고 울리는

울려 퍼지는 종소리처럼
천상의 음악처럼
막 핀 꽃의 애처로운 마지막 노래처럼
사람의 마음을 울리는
너 그런 시 되어라.

주름

태양이 물속에서 헤엄을 친다
한 마리 거대한 금빛 물고기 같이
밤에는 달이 잠자리같이 날아와
태양이 꼬리를 휘저었던 곳에 내려앉고 간다

공간은 접힌다
시간엔 주름이 진다
여러 차원들이 얇은 표면을 공유한다

내 영혼에는
얼마나 많은 주름들이 있을까
그건 아마
저 강에 퍼지는 물결만큼

저 강에는 또

얼마나 많은 주름들이 있을까

그건 아마

내 영혼에 울리는 물결만큼.

고인의 말

- 사랑하는 나의 할아버지께, (2019/5/13)

언젠가

찬란하고 치열했던 청춘이 막을 내리면

정말 언젠가

내가 태어난 그 집으로 돌아갈 때가 올 겁니다.

창문 앞에 누워 슬픔 하나 기쁨 둘

사랑 셋 미움 넷

그렇게 세어가며

산다는 게 무언지 죽는다는 건 무언지 질문하다가

깜깜한 밤하늘만 바라보고 있다 보면

어느새 주름진 뺨에는 차가운 눈물 두 줄기

힘없이 미소 짓는 입가 위로 흐르고 있을 것입니다.

그러다 갑자기

내 일생을 환희로 채웠던 수많은 별들이

창문 앞에서 고개만 갸웃거리다
다른 사람의 곁으로 하나둘씩 날아가겠지요.

당신의 시간 속에 남고 싶은 바람은
조금도 없습니다.
그저 추억의 뿌연 안개 속에 남게만 해 주세요.
당신의 가슴속에서 요동치는 눈물과 웃음 속에서
나도 당신께 미소라도 한번
지어 볼 수 있게 해 주세요.
저 높은 구름 위에서 당신께 손짓하며
뺨에 흐르는 눈물 닦아주고 싶어요.

먼저 간다고 버리고 간다고
나를 원망하진 말아줄래요.
죽음은 모든 것의 끝이 아닌

또 다른 하나의 시작이니까요.

그리고 내가 항상 말했듯이

우리는

무슨 일이 있어도

항상

함께 있으니까요.

악몽을 꾸면 키가 자라듯

어떤 밤들은
가장 끔찍한 악몽마저도 비웃는다.

문틈 사이로 새어 나오는 빛이
어둠의 가는 손가락들이 될 때
잠들지 못할 밤은 다시 시작되는 것이다.

그림자를 들이마시니 허약한 폐는 휘청거린다
내일의 헛된 희망들과
오늘의 참혹한 절망들이
한데 뒤엉켜 영혼을 갉아먹는다.

달은 시퍼렇게 빛난다 -
나를 잡아먹으려는 이 무서운 밤의
튼튼한 어금니처럼.

바늘 같은 달빛이 창문을 뚫고 들어와
쓰라린 상처들을 되새김질하는데
내 마음은 아무 저항도 못 한 채
무정히 뜯기고 씹히고 삼켜지는 것이다.

어른이 된다는 건
상처들이 무뎌진다는 것.
밉게 돋아난 가시들을
무심한 조소로 덮는다는 것.

이 아픔도 지나면 나는
이 상처에도 딱지가 생기면 나는

어른이 돼야지

어른이 돼야지

아이가 악몽을 꾸면 키가 자라듯이
나는 잠 못 들 밤을 지나며
어른이 되어가고 있다.

절경

빽빽이 늘어지는 차들의 향연도
시간을 거슬러 가려는 발걸음을 막을 수 없어

구불구불한 산길 사이로
차들이 옥신각신하는 고속도로 속으로
사람들은 길을 나선다.

가슴속에 담아 두었던 장면들
어린 입술로 속삭이던 말들이 눈앞에 펼쳐질 때
사람들은 깨닫는다 자신이 아직 살아있음을
눈물과 함께 흘려보낸 시간들이
아직도 존재하고 있음을 깨닫는다.

어느새 캠코더엔 추억이 서리처럼 끼고
눈가엔 얼어버렸던 어린 시절이 방울방울 맺힌다

눈앞의 절경과 지난날의 추억이
한데 뒤섞여 눈가를 흐린다.

시간은 과연 직선으로 흐르는가
세월의 급류를 거슬러간 우리는 답을 알지 못한다.
흑백사진 속 함박웃음 지은 얼굴들이
떠나려는 시간 위에 발자국을 남긴다.

탄생

지구는 아직 탯줄을 감고 있을지도 모른다
캄캄하고 무한한 자궁 속에서
1년 365번의 태동이
우주 밖의 거대함에게 전해지길 바라며

태어날 수 있을까
안온하고 어두운 나의 작은 세상을 터뜨리고
날카로운 섬광들이 폐를 찌르는 곳,
굳은살로 무장한 손들이 빚어 간
잔혹하고 아름다운 진짜 세계로.

자라난 송곳니와 발톱으로 스스로 탯줄을 끊고
낳아 주신 은혜를 망각하여
지도 밖의 목적지로 뛰어들 수 있을까

한때 나의 전부였던 세상이
손안에 들어올 만큼 작았다고
웃으며 이야기할 수 있을까

어미와 아이의 심장 박동이 어긋나고
행성과 위성의 궤도가 멀어지는
그 만성적으로 진행되는 고통의 길을

외롭게
괴롭게
걷는다.

유성

넘실대는 달빛 속에
헤엄치던 작은 무지개
그날의 유성은
나의 마음으로 날아와 박혔다

그 운석 때문에 나는
내 안에서 수많은 계절들을 벗겨내고
그 운석 때문에 나는
마음을 연에 달아 바람에 날려보고

아름다워야 할 시간들을 품는 것이 난 아파서
온 세상이 나에게 부딪혀 오는 것 같아서
베개에 얼굴을 묻고 울던 밤
창가에 흔들리던 어느 여인의 그림자
그 여인은 뛰어넘으라 했다

할 수 있다면 달이라도 뛰어넘어 보라고

나는 달에 동아줄을 걸고 그네에 올랐다
뛰어올랐다
하지만 다시 줄을 잡고 땅으로 돌아오지 않았다
하늘을 뚫고 수많은 은하수들이 춤추는 곳으로

생각했다
빛의 속도로 달린다면 1초도 영원이 되지 않을까
메피스토펠레스가 영혼을 팔 만한
정경이 되지 않을까
지구에서 본다면 나는 그런 순간이 아닐까

어둠의 허리를 가르며 날아오는 빛줄기
유성이 되었다.

테트리스

잘못 쌓은 테트리스 조각처럼 서 있는 아파트들
건물들 사이 불편하게 끼어 있는 공백을
한 번에 채워줄
기적 같은 도형이 어디서 떨어지지는 않을까
어른들은 애타는 마음으로 콘크리트를 세운다

이미 잘못 조립된 채 완성된 세상은
다시 해체해서 재조립해야 할까
그러면 용도를 알지 못한 채
나뒹구는 부속품들의 서러움을
조금은 달랠 수 있을까

어른들은 아이들이 부럽다
몇 안 되는 조각들로 꽃이나 고양이 같은
그림들을 맞추는 아이들이 부럽다

어른들은 신경 써야 할 조각들이 너무 많고
어떤 그림을 완성해야 할 지 몰라서
이제는 남의 완성된 그림을 보며
들어맞지 않는 부분을 지적하는 게 더 즐겁다
어른들은 자주 다른 어른들이 부럽다

첫 단추를 잘못 채웠다면
다 풀은 뒤 끝에서부터 단추를 끼워 나가라고
우리는 배웠다
너무 긴 길을 이미 많이 잘못 와 버렸다면
다시 돌아가야 할까 어디서부터 다시 시작할까
고개는 뒤를 보며 다리는 앞으로
계속 나아가는 게 맞는 걸까
아이들은
"넌 늦지 않았으니 이 길로 오지 마라"며

웃는 어른들이 가엾다

정작 다시 돌아가 시작한다면

어느 쪽으로 가고 싶은지도 모르면서.

어른들이 만들어준 지도 밖으로 나가서

돌아보지 않고 걸을 수 있는

외길을 찾으리라 믿는 아이들이

탐스런 희망을 품은 아이들이

어른들은 가끔 가엾다.

마음이 너무 컸던 소년

마음이 너무 커서
마음을 접어야 했던 소년이 있었다

비가 오면 가장 먼저 젖는 마음
바람이 불면 가장 먼저 펄럭이는 마음
소년은 그 마음을 일단 접어 놓곤
밤마다 몰래 펼쳐 보곤 했다

소년은 마음으로 비행기를 접어보고 싶었다
그러나 부모님은 먼저 30평짜리 집을 접어 보라 했고
소년은 마음에 미래를 그려 보고 싶었지만
선생님은 먼저 수학 공식을 베껴 오라 했다
그러다 소년의 마음은
집도 비행기도 아닌 것으로 구겨지고 말았다

한때 소년이었던 청년은
구겨진 마음으로 한 사람을 품었다
그런데 사람은
소년의 마음을 깨고 사랑으로 부화해
다른 둥지로 날아가 버렸다
그렇게
아무렇게나 널브러진 그의 마음 조각엔
눈물 자국만 남아 무늬가 되었다

소년이었고
또 청년이었던
그 노인은
이제 찢어진 마음 조각 하나마다
시 하나씩을 적는다
마음대로 되지 않았던 것들에 대하여

마음의 틈새에 꼭 맞았던 작은 손가락들에 대하여

아직 펼쳐보지 못한 미래에 대하여

그리고

마음이 너무 커서

마음을 접어야만 했던 한 소년에 대하여

제2회 시마청소년작품상 최우수상 작품

베갯잇 같은 꿈

베갯잇같이 창백한 꿈을 꿨어
어제의 뜬구름을 빼고 나면
껍데기밖에 남지 않을 꿈
빠진 유치나 표지가 닳은 동화책처럼
잘 숨겨 두어도 다음 날이면
어디론가 없어질 약속을 베고 잠에 들었지

어른들이 우리를 풀어주었던 연못을 기억하니
바닥에 발이 닿아 흙먼지만 날리도록 커서도
우린 계속 거기에서 유영을 했어
어항을 바다라고 속아 주는 금붕어처럼
좁고 축축한 엄마의 태를
동그란 세상인 줄 알고 더듬는 아기처럼
어른들은 우리가 헤엄치는 걸 구경했지만
우리는 영문도 모른 채

물 밖으로 얼굴을 내밀려고 허우적댔어
지금은 발목까지 밖에 차오르지 않는 포부에
온 몸을 적시던 일을 기억하니

우리는 물속에서 태어난 사람인 것처럼 꼬물거렸지.
누군가 나오라고 하지 않았다면
우리는 손가락이 쭈글쭈글해지기까지 거기 남았을까
하지만 넌 커버렸어
볼이 뜨거웠던 걸 보면 네가 울었던 것 같아
눈 속의 열기를 바깥의 탁한 차가움과 섞으며
넌 어른이 되었던 거야
넌 나에게서 나와 양말을 다시 신었어
넌 잠수하지 않고도 강을 건너는 법을 배웠던 거야

밤새 젖어버린 베개에서 비린내가 났어

너의 체취와도 같던 그때의 물냄새를 기억하니
우리가 첨벙대던 못은
다시 흙으로 메워졌다는 조그만 기사를 봤어
그때보다 두 배는 큰 발자국을 가진 너는
무심코 그곳을 밟았을까

위에 누우면 푹신할 것만 같던
하얀 꿈들을 아직 잊지 못했니
하늘은 여전히 뭉게구름이 가득한데
내 꿈은 먹구름으로 고여서 근심처럼 나를 적셨어

이방인의 언어로 내리는 비

밤비는 놀랍도록 아무 말도 하지 않는다
빗방울은 계속 떨어지고
축축한 어둠이 온 틈에서 스며 들어온다

뜬눈으로 남은 빛을 세어 보는 밤
아파트 불빛들은 눈이 되어 나를 바라보고
저마다의 삶을 슬쩍 흘리는 저 불빛들은
무엇을 위해 그토록 따뜻하고 외로웠던가

낙망과 권태는 마치 먼지처럼
고이 모셔 둔 꿈들 위에 쌓이고
나는 먼지 터는 게 지겨워 그냥 둔다
빗소리와 엇박으로 재채기를 한다

나는 무엇을 위해 그토록 어리고 깨끗했을까

시들어 버릴 눈은 무엇을 위해 반짝였던가
죽어가는 것들과 함께 담겨져
숨이 죽을 젊음이라면 무엇을 위해
나는 싱그러웠던가

엄하고 따스한 손길로
나를 빚어 가고 세우던 손들은
다 완성하지 못한 나를 내버려두고
무심히 어른다
이제 어른 노릇을 해야지

밤비는 내게 아무 말 없이 내리기만 하고
나는 무슨 의미라도 붙일까 싶어 귀 기울여 듣는다

자 이제는, 불을 꺼야지

떠오르는 생각들을 이불 삼아 덮고

아침이면 사라질 꿈을 꿔야지

그러나 아침이 오기까지

밤비는 계속해서 웅얼거릴 것이다.

날개가 돋은 인간

처음으로 날개가 돋아난 인간은
등을 뚫고 나온 살덩어리가
버겁고 불편했을까

무게에 날개가 짓눌려버려서
짐을 질 때도 더 아프고 힘들었을까

몸을 누일 때에도 자꾸 걸려서
밤새 이리저리 뒤척였을까

손이 닿지 않는 곳이 자꾸 저려서
날개가 자라기 시작한 인간은
얼마나 답답하고 힘들었을까

처음으로 날개가 돋아난 인간이 정말로 있었다면

너와 같았을 것이다

너와 똑같이 아팠을 것이다

그림자

너의 그림자만 보고
멋대로 너를 크다고 생각했다.
태양이 그 각도로 빛을 비춘 자리에
네가 서 있을 뿐이었는데

언젠가 작아진 네 그림자를 보고
너를 작다고 판단하는 사람도 있을 테지만,

햇빛의 기울임에 따라
하루에도 몇 번씩 달라지는 너의 실루엣에
너를 억지로 욱여넣으려 할 필요 없다.

그저 너를 마음대로 빚어내려는 빛을
똑바로 마주하고
너의 길을 묵묵히 걸으렴,

사랑스런 아이야.

언젠가 세상의 명암이 의미가 없어질 정도로

내가 나이를 먹으면

품에 꽉 차는 너의 형질을 두 손으로 더듬고 싶다

그때에는 선과 면의 제약에서 벗어나

더 입체적인 너의 모습과 만날 수 있겠지

2부

눈동자가 세계라면
눈은 곧 우주

눈과 눈 사이에서 인식되는 입체감과
당신의 눈매가 비틀어내는 약간의 왜곡이
또 하나의 특별한 세상을 낳습니다.

꿈

바람이 엊저녁 널어놓은 원피스를
빙그르르 돌린다.
바람이 춤을 추는 꿈을 꾸나 보다.

아기 잎사귀들이 무거운 나뭇가지를
하늘로 치켜든다.
나뭇잎이 비행기가 되는 꿈을 꾸나 보다.

그런가 하면
풀잎은 슬픈 꿈이라도 꾸는 듯이 눈물이 그렁그렁
황금빛 이불을 덮은 늙은 집들은 졸린 듯이
눈을 끔뻑끔뻑
열린 문들은 악몽이라도 꾸는지
흔들흔들 삐걱삐걱

마법으로 가득 찬 아침 공기,

모두가 꿈을 꾸는 이 아름다운 세상에

나

혼자

깨어

있다.

바람의 목소리

나는 계속 흘러간다
강줄기를 따라 험준한 협곡 위까지.

내 손길을 거치면
가장 작은 잎사귀는 독수리가 되고
잔잔했던 바다는 사나운 발톱이 된다.

내가 숨결을 불어넣으면 모두 행동이 된다.
빈 캔버스 같은 이 고요한 세상을
나는 모든 종류의 춤으로 가득 채운다.

그러나 아무도 듣지 못한다.
나의 목소리를.
아무리 휘파람을 불어도 손뼉을 쳐도
내 쓰다듬을 받는 아이들에게조차도

나는 놓으면 사라지는 실오라기 같은 존재다.

나는 머무르지 못하고 이리저리 유랑한다.
나를 향해 내미는 손들을 나는 잡을 수 없다.
나를 부여잡는 앙상한 가지들로부터
나는 떠나야 한다.
언젠가부터 나의 힘이 나를 약하게 만들고
나의 자유가 나를 구속한다.

파멸해 버린다 해도 나는 머무르고 싶다.
행동도 힘도 아닌 실제가 되어
누군가의 가슴속에 남아
영원히 속삭이고 싶다.

제18회 현대시문학 청소년문학상 은상 수상작

올림푸스

산 중턱 그 어딘가

힘없이 누워있는 인간의 그림자

흙 묻은 발로 서서

오르페우스의 신호를 기다려

어설픈 인공 날개를 푸드덕이며

신의 은총이 입술에 닿기를 기도한다

흐느끼며 지나가는 바람

찬 빗방울 속 외치는 어둠, 어둠

머릿속을 가득 울리는 공허함

빛을 잃어버린 밤의 맥없는 메아리

우리는

무엇을 하려는 것일까

시간을 박제하며 영원을 바라는가

구름으로 짠 실오라기 같은 영혼을 손가락에 잡고
왜 장미를 찾아 가시덤불 속을 헤매는가
마음이 타버려 검은 숯으로 부서질 때까지
왜 사랑을 하는가 시를 쓰는가

정녕 무엇을 바라는가
왜 허무한 상상으로 짠 날개를 가지고
텅 빈 하늘을 날려 하는가
쓴 어둠을 삼키며 견뎌야 하는 밤에
그림자로 녹아버리고 싶지만
손에 쥐어 찌그러진 달을 나는 무시할 수 없다

시간을 몰라 방황하는 어둠
죽은 신들의 산 위로 고개를 내미는 태양
저것은 뜨는 해인가 지는 해인가

올림푸스 올림푸스
오르페우스여 현들을 진동하라
네 선율이 지하까지 뚫고 내려가도록
나는 동이 튼다 믿고 싶다.
찌그러진 달은 곧 내 손아귀를 벗어나
태양의 거울 저 언저리에 걸려 있겠지

올림푸스의 노을이여
어두운 동굴 속을 헤매는
농부들의 신음 소리와 함께
마음속에 박히는 영롱한 새벽별

꿈에서 깨어

꿈을 꾸었다
그리고 너무 일찍
그 꿈에서 깨어 버렸다
모두에게 내일인 것이
내겐 너무 일찍 오늘이 되어 버렸다.

귀가 먹먹하도록 조용하던 어느 날 오후
엉성한 잠자리채를 들고
나비 같은 꿈을 잡아볼까
그날 유리병에 담은 나비는 하늘이 그리워
결국 -

이름 없는 묘비에 새겨지는 수치심
수천 개의 조소를 반사한 깨진 유리 조각들

매일 밤 예쁜 나비가 나오는 악몽을 꾸었다.

그리고 다시 깨었다

깨서도 나비가 나를 쫓았다

밤하늘의 별들을 다 센다고

그 별들을 다 가질 수 없고

긴 밤 동안 취해 있던 꿈도

아침이 되면 식어 날아가는 것처럼

꿈은 내일이 아니니

망원경을 쥐고 달려가다

돌부리에 채여 넘어지기보단

내 보폭만큼 넓은 포부를 가지고

나에게 주어진 수만 갈래의 길을 걸어가야지

홀로 마중 나간 새벽

실수로 빛을 쏟아버린 달빛 아래

눈물로 참회의 세례를 받는다.

제24회 의정부 전국문학공모전 중등부 장려상 수상작

시인

시인이 술잔을 채우면
달은 동쪽으로 기우는데
빈 대나무 속의 공허한 바람 소리는
서책을 넘기는 소리와도 같아

등 돌린 어두움을 벗하여
푹 파인 속을 시와 술로 채우는 인간
밤은 달의 한숨 속에 흘러만 간다

맨발로 광야 위에 선
시인이란 야만스러운 짐승
그의 울음소리는 이미 잊혀진 시구
한낱 털 없는 짐승이 신의 것을 탐내어
내려진 형벌, 그것은 시를 쓰는 것

산비둘기도 애도하지 않는 죽음 위에
별빛을 뿌리고
붓끝으로 죽인 시상들을 종이에 박아 넣고선
생명을 창조하려 하는가

허영심에 차 적어 내린 단어들은
텅 빈 상자를 둘러싼
근사한 포장지인 것을 모르는가 -

시인이 술잔을 기울이면
달은 점점 차오르는데
대나무 속의 바람 소리는
발칙한 짐승의 가슴이 미어지는 소리와도 같다

거울

거울 속에

애인을 숨겨 놓았습니다.

영원 같은 유리막을 사이에 두고

“사랑해”의 입모양은 보이건만

아무 소리도 내지 못하는 나의 애인

입맞춤조차 해주지 못하는 애인이 있습니다.

거울 속에

원수를 가두어 놓았습니다.

온갖 저주를 퍼부어 대도

조롱 섞인 목소리로 나의 말을 그대로 따라 하고

성난 주먹으로 내리쳐도

수십 개의 형상으로 반사되어

나를 응시하는 원수가 있습니다.

거울 속에
나의 분신이 가끔 나타나옵니다.
가끔 그 분신이 내가 아닐까 생각하지만
아니라는 걸 알고 있습니다.

나의 미워하는 애인과
사랑하는 원수를 만나러 가는 날에
모든 빗방울의 이름을 외치고
투명 비닐 우산 같은 나의 조그만 하늘을 펼치면 -
나는 어느 창가, 어느 화면, 어느 거울 속에서
어설프게 다른 사람의 동작을 따라 하고
부끄러운 모습으로 남의 뒤집힌 동경과
동정을 받습니다.

제20회 현대시문학 청소년문학상 금상 수상작

달이 강가에 쓰러져

달이
강가에 쓰러져 흐느낀다
이 검은 밤은 참 무심하기도 하지
창문들은 자기 일이 아니라는 듯 눈만 깜빡이고
아무도 듣지 않을 신음만 내뱉는 가게 간판들

참 이상한 세상이다
세상은 눈부신 경제 성장과
더 행복한 사회를 약속한다
카메라가 세 개 달린 스마트폰도
수영장이 딸린 집도
가질 수 있으면 다 네 것 해보라고
그런데 무릎이 까져서 불어 달라고 하면
일단 다시 달리라고 한다
오늘 행복을 찾겠다고 하면

내일 이자까지 쳐서 준다고 한다

달이
떠나갈 물살을 잡고 흐느낀다
모두가 이불을 걷어차고
아무 일 없이 하루를 굴려 나갈
그 아침을 두려워한다

제20회 한국청소년문학상 동상 수상작 (문학사랑 주최)

잠 못 드는 밤 1

나의 심장이 내 몸보다 크다
나의 혈관이 내 신체에는 만족하지 못한다
내 핏줄들이 무림을 뒤덮어 온 대륙을 삼키고
더 넓은 곳으로,
더 깊은 곳으로 뿌리를 내리려 한다
아마존과 나일강만큼의 피를 뿜어내는 내 심장이
쿵 쿵 떨어진다
온 몸과 머릿속에 가득 울린다
대기권을 채울 만한 숨을 내뱉어야 하는 내 폐가
온 하늘을 내 안으로 불어넣는다
나는 부풀어 오르고
내 피부는 팽창한다
내 거대한 심장과 폐 때문에
나는 커지고 늘어나고 팽창하다 터질 듯하다
온 세상에 나의 파편들이 섞여서

나는 세상이 될 것 같다

온 우주와 나를 끝낼 폭발이 될 것 같다

하지만 나는 터지지 않는다

나의 아픔은 내게 고통을 가득 불어넣어

더 버티지 못하고 터질 것만 같이 나를 부풀린다

터뜨리지 않고 멈춘다

나를 떠난다

나는 감사해야 할지도 모른다

잠 못 드는 밤 2

어둠은 경계들을 허문다
내 방과 우주 공간의 경계를 허물고
나와 공허의 경계를 허물어 버린다
불을 끄고 창문을 닫으면
가끔 나는 내가 아니다

나는 분명 방 안에 있는데
나는 또 어딘가에서 떠다니고 있고
내가 분명 걷고 있는 지금은
멀리 떠난 과거나 깨지 못한 꿈이 되어 있다.

방 안에 갇힌 내가
가슴을 잡고 신음하는데
그 아이는 내가 아니다

어둠 속에 갇힌 내가

얼굴을 바닥에 대고 숨죽여 우는데

그 아이는 내가 아니다.

잠 못 드는 밤 3

두 발 딛고 섰지만
추락하고 있고
한 번도 멈춘 적 없지만
나아가지 못하고 있다.

시간은 마르지 않고
심장은 계속 흐르지 않는데
한 번도 막힌 적 없는 숨이
다시 쉬어지게 하려면 어떻게 해야 할까

눈을 감는다
나를 감싸고 있던 공간들이 무너지고
어둠 속에 웅크리고 있는 나의 윤곽이 나타난다
소리는 하나둘씩 날아가고
손가락에 따끔하게 박히는 매 초를 참아가며

아직 죽기 싫은 나는 질기게 숨이 붙어있다

숨을 들이마시고

다시 내보낸다

아픔이 녹아가고

심장은 다시 나를 기다려준다

그렇게 숨이 쉬어지고

그렇게 삶이 살아진다.

채색의 경계

바람은 모든 말없는 것들의 목소리
모든 움직이지 않는 것들의 춤

나뭇가지는 발톱이 되어 하늘을 할퀴고
물은 파도로 일어나 외치는데
바람이 생기를 불어넣어
소리와 색채가 뒤섞여 흐르는 세상에
홀로 채색되지 않은 채 남겨진 나는

나는 다만 하얗고 나는 희미하다

입술의 떨림을 말로 옮기지 못하고
눈꺼풀 틈에 가느다란 어둠을 가둔 채

나는 침묵하고
나는 꿈쩍 않는다

꽃이 피는 시간

꽃 하나를 피우기 위해
햇살이 틈새로 비집고 들어가고
밤새 비가 울었다

그러다 어떤 인간이 던진
무심한 눈길에
나약한 꽃잎들이
활짝 피었다고 한다

야윈 달

밤이 살이 쪘다
달이 야윈 덕이겠지

그 순결하고 매끈한 육체를
어둠이 적시고, 물들이고, 혀로 삼킨 것이다.

어젯밤 몰래 내 방으로 와
내 속을 파먹고 간 어둠은
어떤 형상을 조각하려
내 뼈를 그리 깎았던가

휑한 하늘 위에 홀로
기울며, 잠식하며, 말라가는 것이
나인지
달인지,

그저 허상인지

의사도 진단하지 못한 환상통,
오랜 가진통 끝에 유산한 아이는
어떤 눈의 아이였을까
몸속의 뼈가 모두 재배치되는 고통을 겪으며
나는 인간을 넘어선 것이 되었을까
아니면, 비로소 인간이 되었나

달이 기울다 다시 차오르고
베인 곳에 다시 살이 돋는
그 인고의 시간에
아직 불완전한 모습을 다시 비춰본다

커피의 끝맛

오전 10시의 향긋함을 사이에 두고
너와 마주 앉아 커피를 마신다
시적인 허영으로 치장하고
입에서 이미 식어버린 말들을 나누어
서로의 종잇장같이 얇은 미소에
가끔 손가락을 베인다

어쩌면 입에 남는 쓴 뒷맛을 위해
야근하던 어른들이 구급차에 실려 가고
맨발의 아이들이
이마를 그을리는 걸지도 모른다는

그리 향기롭지만은 않은 진실을 입에 머금었다

시답지도 않은 시

오지도 않은 비에 마음이 젖었다
스스로 틀어 둔 물을 계속 맞은 사람은
무지개를 볼 수 없는가

바깥의 하늘은 티 없이 맑은데
내 창문에는 손톱만큼의 안개가 껴 있어
푸르다 못해 푸르죽죽한 바람이 습기를 물고 오면
눈에는 흘릴 생각도 없는 눈물이 고인다

다 풀어 보지 못할 짐들과 질문만 쌓여
이제 머리 둘 곳도 없는 내 방에는
누군가 머물렀던 흔적이 아직도 가득한데
잡아 끌던 손의 감촉과 살갗의 온기를 잃지 않으려
다 마신 찻잔의 온기를 감싸 쥐듯 회상을 한다

곰팡이 핀 벽에 벤 퀴퀴한 냄새처럼
노랗게 샌 종이에 묻어나오는 눅눅한 감정
시인은 언제까지나 시인다운 감정만 느끼며
아름답게만 앓아야 하나
여름에는 더위가 아닌 청춘으로 숨을 헐떡이며
봄에는 벚꽃이 아닌 사랑으로
거리가 붉어져야 하나
시답지도 않은 한탄만 늘어놓으며 밤을 새다가

떠나간 자가 아니라
남겨진 자의 자세로 아침을 맞았다
앞에는 두려움이고
뒤에는 후회뿐인 자리에 주저앉아
내게 선택은 포기일 뿐이었다고
고백도 아닌 고해를 했다

부끄런 나의 모습에게 오랜 연인을 대하듯
쉽게 이별을 고하지 못하고
맞지 않는 고상한 뜻을 한 번 걸치지도 못하다가
유언장에 두서없는 반성만 고쳐 쓰다
나는 고인이 되려나

시답지도 않은 상념이 기어코 시가 되어
화상 자국처럼 남아서 나를 괴롭히려나

미결

파도가 밤새 모래사장을 입맛 다시듯 핥았다
지긋이 눈을 뜨고 보는 밤은
아침의 빛이 넘칠까 걱정하나
무릎이 닳도록 애원해도
얻을 수 없는 마음을 사랑하도록
인간은 삶을 갈망하도록 태어났나

가끔 잊혀진 에덴에
손이 닿지 않아 선악과를
따먹지 못한 이브를 생각한다
스스로 선도 악도 선택하지 못하고
무르익는 약속과 금기만 영원히 올려다본 인간
그렇게 맛보지 못할 열매들은
수평선에 아롱아롱 매달리고…

선악과인지 생명 열매일지 모를 열매를 보듯
탐스런 아침 해를 보았다
영원히 이루지 못할 뜻을 품을 때
짐승은 인간이 되었나
갈증으로 파낸 우물이
우연히 달을 담게 되듯
아픔에 문지르려 지은 시는
사랑과 별과 저녁 바람의 외로움을 담게 되면
계속 해변가를 핥는 파도는
텁텁한 모래만 계속 씹으며 무엇을 삼키게 되려나

푸른 풍경화

바람이 햇빛을 물감 삼아 채색한 오후
쏴아 - 하는 소리와 함께 그림자는 물결치고
새들은 그 파도 위로 용감한 항해를 시작한다
하늘은 나뭇가지에 꼭 안겨 있다
한순간 안에 세운 간이 영원처럼
서로에게 항상 함께라는 말을
너무 쉽게 하는 연인들처럼

햇살이 나뭇잎에게서
나무도 모르고 있던 빛깔들을 깨우고
나는 푸르름이란 말에 담긴 의미를 떠올려 본다
산과 들판을 가리켜 푸르다고 하는 건
너와 나를 가리켜 그저
인간이라고 하는 것과 같은 무심한 능욕이겠지
눈빛이 우리의 형상을 잔뜩 적셔서
속의 본질이 살짝 비칠 때까지

사람들은 우리의 다름을 모른다
빗방울이 나무에 입맞추듯 퍼붓고
눈망울이 투명하게 맺혀 서로를 투영할 때까지
우리는 아까 지나친 아름다움을
뒤돌아보지 않는다

언제나 흑백처럼 푸를 것 같은 숲에 색이 채워지고
바람이 나의 색을 다시 칠할 때까지
나는 가만히 있는다.
바람이 내게 새로운 춤을 가르쳐
우리가 흙바닥을 누비며 덩굴처럼 뒤엉킬 때까지
나는 착한 아이처럼 조용히 지켜본다
아직 윤곽이 잡히지 않은 나는
아직 풍경 바깥에 있지만
너는 여전히 나의 그림이다.

허물어지는 하늘

푸른 비가 그칠 새도 모르고 내려
움츠린 기왓장을 자꾸 적셨다
금방 지나갈 거라는 노모의 말이
우렁찬 외침 뒤로 먹먹하게 울린다

하늘이 무너진다고 누군가 한탄하듯 말했던가
하늘은 사실 여러 번 무너져 내렸었다
몇 천 개의 조각으로 내려
아무도 눈치채지 못했을 뿐

나는 오늘도
앳된 손바닥 같은 우산을 펴고
흘러내리는 바짓단을 끌어 올리며
붕괴 속을 걸어 나갈까

아니면 맨발로 뛰쳐나가
새로운 시대처럼 태양이 나타날 때
홀딱 젖은 몸을 부끄러워하지 않으며
이른 기적처럼 웃어볼 것인가

지워질 듯한 시

잘 때가 되면 항상 나는 문을 조금 열고
빛이 새어 들어오도록 합니다.
방 하나만큼의 어둠이 나를 짓누르는 건
너무 잔인한 일이기에 -
한 줄의 빛이 방의 윤곽을 잡고
나는 한 구석에서 여전히
어둠과 섞인 채로 있다 보면 나는 누군가가
그 조금의 빛을 굳이 나에게 비춰서
어둠을 나에게서 벗겨낸다면
나는 얼마나 부끄런 모습을 하고 있을지,
생각해 봅니다.

완전히 밝지도, 어둡지도 못하고
내내 그림자를 무거운 족쇄처럼 달고 다니던 내가
누군가의 기억에 굵은 윤곽선으로 그려질 모습을

생각하면 나는,
그저 부끄러워서 -

그래서 더욱
얇은 선으로 나의 덩어리만 휘갈겨 놓곤
옅은 채색으로 희미하게
세상을 지나는 걸지도 모릅니다.

그래서 나는 이 밤을 새우며
이도 저도 아니었던
옅게 스케치되었다 지워진 사람들에 대해
시를 씁니다.
아무도 울어주지 않은 죽음과
아무도 축하해주지 못한
나약한 인간의 도약들에 대해

나는 마치 오래 잊은 그리운 사람을 떠올리듯이

지워질 듯한 시를 씁니다.

3부

2인칭 단수의 유사어,
사랑

항상 1인칭 단수로만 시작하던 문장이
3인칭의 묘사로 변하면 호기심이 시작되고
그것이 2인칭으로 시작하는 고백이 되면
비로소 사랑이 시작됩니다.

사랑하는 이에게

당신의 아름다운 향기는

나에게 손만 뻗으면 잡히는 악몽과도 같아요.

다른 사람들과

다른 곳에서 즐겁게 웃으면서도

당신의 달콤했던 사랑이 생각나

난 오늘도 어쩔 수 없이

쓴 눈물을 핥을 수밖에 없습니다.

당신이 떠난 후에야

당신의 발자국을 쫓는다는 것이 부끄럽지만

그럼에도 불구하고 내가

노래를 부를 수 있게 허락해 주세요

천상에 닿을 만큼 높고도 아름다운 노래를.

내 비수 같은 말들과 찌푸린 눈썹을 덮을
따뜻한 사랑의 말을 오늘 내가
한마디라도 할 수 있게 해주시옵소서.

공항에서

공항에서

네 마음을 훔쳐 왔다

네가 다시 찾아가야 할 짐이 없도록

두 손 가득 끌고 갈 부담감이 없도록

네가 혹시 몰라 남기어 둔 미련도

구석에 엉켜 있는 두려움도

다 내가 맡아 놓을 테니

하고 싶은 말과

하고 싶은 것만 잔뜩 가지고 가라고

네가 잊고 간 걱정을 두 손 가득 들고 돌아간다

기다리는 것도 내가 하고

후회하는 것도 그리워하는 것도 모두 내가 할 테니

너는 신나게 훨훨 날아만 가거라

그 때

침묵 속에 많은 대화가 오갔다
다정한 밤공기를 사이에 두고 걸어도
서로의 체온을 나눌 수 있었던 그때

어제 있었던 일에 대한 너의 반응을
혼자 상상해보고 처음으로 소리 내어 웃었을 때
네가 내 곁에 없다는 사실을 깨달아버렸다

그리움의 부피는
"보고 싶다"라는 말에 다 들어가지 않는다는 걸
널 떠나보내고서야 알았다

너의 넋은 바람이 되어

너의 넋은
바람이 되어
이렇게도 나에게 불어오는구나.

네 바람에 종잇장 같은 마음들이 날아가고
네 바람에 곱게 핀 꽃들이 한숨을 쉬고
네 바람이 비를 몰고 들어와
아직 다 감지 못한 눈꺼풀을 두드리다
해가 돌아오면 부드럽게 등을 쓸어내린다

나는 살아서도
너에게 닿지 못할 사랑을 하고
네게 더 이상 의미가 없는 고백들을 쓰는데
너는 이렇게라도 내 곁에 남아서
내 마음을 울리고 내게 사랑을 주는구나

너의 혼은 별로 굳어
못다 간 길 위를 비추고
너의 미소는 꽃망울이 되어
꾸다 만 꿈속에서 흐드러지는구나

나의 시들이
향기가 되어
네 바람을 타고 전해지기를 바란다.

오지 않는 봄

눈꺼풀 같은 기왓장 위에
눈이 졸음처럼 쌓여

오는 길이 미끄러울 텐데, 하는
어머니의 한숨도 함께 쌓이는 듯하다

이번 겨울은 당신을 기다리는 시간처럼
기약 없이 내게로 머무는 괴로움 같다.

이번 겨울은 당신의 온기가 없어서
내 갈비뼈 사이에 들어차는 바람이 매섭고

이번 겨울은 내가 눈 위에 찍힐
당신의 발자국을 기대해서
험한 길을 올라오는 봄의 발걸음이 더딘가 보다.

어쩌면 이번 겨울이 너무 길어서

너는 어쩌면

오지 않으려나 보다.

네모난 마음

조그맣고 네모난
너의 하늘에 마음을 쏟았다.

네가 이름 붙일 수 있는 구름이라도
몇 개 잡아다 놓을까
심술궂은 자동차 매연이
이 노을빛을 가리지 않을까
노심초사하며 잠을 설치다,
네 머리카락 그림자가 흔들리는 것을 보고
미소 짓던 밤이 얼마였던가

네 쪽의 하늘에선
부끄럼 많은 햇살이
너를 몰래 비추다 들켜버렸는지
작은 비행기가 네가 가보고 싶던 곳으로 날았는지

빗방울들이 어떤 재미난 이야기를 싸들고 왔는지
너무 까맣게 타버린 하늘을 올려보다
날카로운 달빛에 긁혀 울지는 않았는지
네게 묻고 싶었는데.

지금은 들리지 않을 목소리로 네게 안녕을 전한다
네게 세상의 모든 여명을 다 끌어다 줄 수는 없어도
문을 열고 나오는 것이 아직은 너무 힘겨운 네가
가끔 올려다보며 미소 지을 수 있는 하늘이
네게 찾아오길 기도한다.

앓고 싶은 바다

너와 함께 앓고 싶은 바다가 있었다
하늘에 가득 흘러넘치는 파랑을 온몸으로 받치고
하늘과 물이 만나는 아찔한 수평선을
손으로 짚어가며
갓 태어난 파도처럼 하얀 모래 위로 달음질하는 꿈
바다 위에서 떠다니는
햇빛의 깨진 조각들 중에서
가장 빛나는 것을 찾으러
발 닿지 않는 곳을 감히 탐해 보는 꿈
바다 거품이 토해낸 깨진 무지개 조각들을
뒤적거려서는 이해할 수 없는 바다를
너와 안고 싶었다

(그러나 너는 아가미가 없고
나는 적당히 떠다니는 법을 몰라

우린 잠수한다면 떠내려가고 말거야
우리가 젊어진 내일들의 압박 때문에
우린 떠오르지 못하겠지
모르겠어, 나의 심해에 파묻힌 사체들이
물어뜯긴 것을 보고도
너는 만족스럽게 익사할 수 있을까?)

그래,
아마 잡아먹히지 않고도 알고 싶은 바다가
네게는 있었겠지
작은 고기잡이 배를 빌려서
넌 신대륙을 찾겠다며 떠났다
뿌리처럼 파고드는 발가락들을 가진 나는
몇 발걸음만 옮기면 바다인 그 곳에
그대로 박혀버려서

나는 그저,

잠깐 스쳐지나갈 배를 기다리는 마음으로

등대처럼 서서 너를 기다린다

저 멀리 어딘가 조그만 물결이 일고

네가 내 빛 속으로 미끄러져 올 때

어디서부터 네가 내 빛을 보고 왔을까 꿈꾸며

시선은 어쩔 수 없이 똑같은 귀퉁이를 비추겠지

네가 스쳐지나간 곳에서 시작된 파동이

땅 밑으로 조금 부딪혀 올 때에서야

나는 아직 바싹 마른 모래가

첫 파도에 쓸릴 때 깨달은 바다를

조금이나마 가늠해 볼 것이다

네 뒤에 떠다니는 수많은 별들보다

더 가까이에서, 더 따듯하게 네 길을 비출 때에야

넘치는 물결을 힘없이 돌려주고

조용히 떠 있는 달이 바다를 알듯이

너를 조금이나마 알 수 있을 것이다

무명

하늘에는 이름이 없다
그래서 누구든 올려다보며
그리운 이의 이름을 외쳐 볼 수 있다
구름에게는 부모가 없다
그래서 언제든 손가락으로 짚어서
무언가를 닮았다고 말할 수 있다

나도 너를 만날 때만은
여러 번 불리고 쓰여서 닳고 마모된 나의 이름을
마치 없었던 것처럼 지워버리고
네가 부르고 싶은 이름을 외치며
어깨를 적시게 하고 싶다

몇 번이고 거울에 옮겨 담았던 나의 얼굴을
이젠 전부 쏟아 버리고

네가 꿈에서나 마주할 수 있던 얼굴을
고쳐 그릴 수 있도록 하얀 종이를 자처하고 싶다

너와는 손을 맞잡지 않아도 체온을 느낄 수 있다
진심을 뒤집어 놓지 않아도 대화가 진실될 수 있다.
나는 하얀 허공 같은 도화지에다
수신인도 발신인도 없는 편지를 쓴다

더 이상 미안해하지 않아도 된다
세상엔 열심히 해도 안 되는 게 있으니
그때 그렇게 할걸, 하고 뒤돌아보지 않아도 된다
내가 남기고 간 행복한 날들은
너를 위해서 따로 덜어둔 것이니
부채감을 느끼지 않아도 된다

애타게 듣고 싶었으나
아무도 감히 내게 해주지 못했던 말들을
나는 메아리라도 들려오기를 바라는 듯
계속 벽 없는 하늘에 던져 본다

받아줄 사람도 없는 꽃다발을
종일 고백할 말을 고민하듯 엮어갔다
기다리는 사람도 없었으면서
꽃잎이 다 떨어질 때까지 그 자리에 서 있었다

아지랑이, 여름

너는 내게 여름이었고
우리에게 사랑은 아지랑이였다

얼음을 넘치게 넣은 사이다처럼
아찔하고 톡 쏘던 너의 말이
목구멍에서 톡톡 튀는 것을 느끼며
모기 소리가 시끄럽단 핑계로
이부자리에서 나와
너를 생각하다 금방 녹아버린 여름밤

너무 무더워서 지나지 않을 것 같은 청춘은
너의 뒷모습을 쫓아
설레도록 가파른 내리막길을 내달렸다

오뚜기

중심을 잡으려 해 봐도
너에 대한 마음이 무거워서 늘 휘청거렸다
끝까지 차오른 마음이
조금만 움직여도 넘칠 것을 알면서도
자꾸만 네게로 기우는 걸까

서로의 발을 밟으면서도 너와 춤을 췄다
짧은 사과와 멋쩍은 웃음을 반복하다
네가 발을 딛는 타이밍을 맞출 때면
너는 내 손을 놓고 인파 속으로 사라지고
나는 부은 발을 끌며
또 어설픈 춤을 청하러 가겠지만

나는 다만
네가 오아시스 하나 숨기지 않은

사막인 줄을 알면서도
너의 신기루에 매여서
걸어봤자 모래바람만 피어오를 길을
정신없이 헤맬 것이다.

아마 그런 마음으로 너를 사랑한다
너를 너무 사랑해서가 아니라
그렇게밖에 사랑할 줄을 몰라서
너를 오래오래 사랑하고 싶기보다는
이미 시작된 마음을 멈출 수 없어서
정차할 줄 모르고 달리는 열차처럼 널 사랑한다

어느 날

어느 날 네가 죽었다

나는 세상에게 멈춰야 한다 했지만

이 세상은 네가 없단 것도 눈치채지 못했다

네가 좋아하던 티비 프로는

아직도 저녁 8시에 하고

네가 예뻐하던 꽃은

네가 보지 않아도 피어나는 것처럼

네가 받아주지 않아도

나는 너를 계속 사랑하고 있다.

거북이

너는 등껍질을 지고 느리게 걸어간다
누군가가 건드리면
바로 숨어 들어갈 수 있는 아늑한 집
열 걸음도 땀 흘리며 걷게 하는 무거운 짐

너를 꺼내어 줄 수 없다
너의 딱딱하고 모진 껍질을 깨서
너의 부드러운 속살만 취할 수 없다
어느 단어에서 그 뜻만 빼갈 수 없듯이

너의 짐을 덜어줄 수도 없다
네게로 손을 뻗으면
네 등에 그림자를 더할까 봐
이 얼마나 허울뿐인 정이며
이 얼마나 애매한 공생 관계인가

고대에 사람들은 거북이 등껍질에 글을 썼댄다.
그 글은 인류가 끝까지 지고 갈
아주 슬픈 계명이었을 게다
네가 지고 가는 것은
네가 삶과 맺은
잔인한 계약이었을 게다.

너는 네가 갑각류라도 되는 듯
스스로를 부수어 벗었다
더 나은 자신이 되지 못하면
죽어버리고 말 거라면서
아니야, 넌 인간일 뿐인걸,
네게 말해 주고 싶었지만
너의 비늘 사이로 손을 넣어 따뜻한 피부를 만지면

애써 숨을 참는 네가 더 버티지 못할 것만 같아서 -

위산처럼 역류하는 위선적인 말들 때문에
오늘도 속이 아프다 내 안의 물컹한 것들 때문에

너는 느리게 가고 있고
나는 최대한 발 맞추어 걸어간다
너의 마음을 맞혀 보기 위해 그저 하는 것이
발을 맞추는 것이라면
우리가 토끼와의 경주에서 결국 이기지 못하더라도
나는 끝까지 너와 함께 걸어갈 것이다.

임시방편 같은 말

사랑한다는 말이 필요 없는 언어를
너에게 주고 싶다
모든 단어에 애틋함이 묻어나와서
어느 단어가 사랑인지
굳이 해석하지 않아도 되는 문장을
너에게 주고 싶다

아름답다는 말이 더 이상 의미가 없는 나라로
너를 데려가고 싶다
절경을 굳이 찾아가지 않아도 풍경이 되는 곳
깨끗한 유리 같은 침묵과
참지 못해 내뱉은 탄식으로
모든 감탄사를 대체할 수 있는 곳으로

그러나 아직 그런 언어가 없고

아직 그런 나라를 발견하지 못한 이상
나는 계속해서 너에게 말할 것이다
사랑한다고,
너의 세상은 아름다울 것이라고.

너를 닮은 형용사

계절을 맞이하는 거리는
새로 쓰는 문장들로 가득 차 있다.
푸릇푸릇한 옷을 반쯤 벗어 둔 잎사귀들과
급히 달려오는 탓에 건물들과 나무에
이리저리 부딪히고 마는 바람과
창백하게 질린 하늘을 에워싸며 달래는
구름, 그런 것들

소중히 모은 단어들에 형용사를 붙여 본다
도르륵 굴러가는 발들은 앙증맞고
삐뚤어진 간판은 정답고
노랗게 익은 보름달은 먹음직하다
귀갓길에 우연히 올려다본 정경은
왜인지 아름답다는 말을 붙여 주긴 진부한데
그건 너를 닮았다는, 더 진부한 생각을 하게 된다.

너의 이름을 딴 형용사를 지을 수 있다면
아름답다는 말을 대체할 멋진 말이 될 텐데,
괜히 구시렁대다
새로운 문장을 쓰려 아껴 둔 단어들은
결국 너를 표현하는 말이 되고

커튼을 활짝 열고 햇빛을 들여야
내 방에도 아침이 오듯
널 닮은 말들에 어울리는 형용사를 달고 나서야
내게도 가을이 온다.

계절이 바뀌는 풍경, 너

햇살의 눈빛이 사뭇 다르고

바람의 손길이 새삼 간지럽다

약간의 초조함이 섞여 들어온 상쾌한 공기에

마음은 술렁이고

길거리에 흐르는 사람들은 모두 새 그림이 된다

달리는 기차에서 무심코 내다본 풍경이

어느새 많이 바뀌어 있듯

우리의 마음도 달라져 있다

사랑에서 미움으로, 다시 미움에서 연민으로

기대에서 체념으로, 절망에서 작은 희망으로

쳇바퀴 같은 계절 속에도

같은 날은 하나도 없단 사실을 깨달았을 때

찰나의 순간 속에 담긴 너를

오롯이 사랑할 수 있었다

별거 없는 시

아파트 벽들 사이에 끼인 별은
돌계단 사이에 피어난 꽃처럼
넓은 들판에 옮겨 심겨져
함께 살랑거리길 꿈꾸는 마음으로
막힘없이 펼친 하늘에서
마음껏 쏟아지고 싶을 텐데
꽃이 바위들 사이로 새어 드는 비를 삼키려
입을 벌리듯
무심코 걸릴 시선을 잡으려
별은 가느다란 빛을 던져 본다

가끔 지퍼처럼 잠겨지는 세상에 끼어
숨이 막혀서 침도 삼키기 힘들 때면
나 역시 도시의 균열 사이에서
태어난 존재가 아닐까 생각해 본다

생명을 틔우고 싶다는 욕구가 빚은 오류
나는 있어야 할 곳에
자리 잡지 못한 것들에 대해 생각한다
바싹 마른 모래사장으로
떠밀려온 부서진 조개 껍질과
매연 가득한 도로에서
기침도 참으며 멀리 홀씨를 보내는 민들레와
말라가는 웅덩이에서 퍼덕이며
아이들의 동정심을 사는 물고기
그런 볼품없어서 눈길을 끄는 존재들 말이다

번뜩이는 도시의 열기에 눌려서
풀이 죽고 포기한 나는
다 메마른 흙에 남은
한 포기 풀과 같다고 생각해 본다

계속 짓밟힌 채로 있을까 하다가도
굳이 찾아와 간지럽히고 가는 바람에
정신을 차리는 풀

그림자 사이로 고개를 들고 춤추는 햇살이나
우연히 머리 위에 멈춘 구름처럼
무심한 친절 때문에 실수 같던 생도 필연이 된다면

별은 특별하지 않아도 빛나고
꽃은 화려하지 않아도 대견하다는
시선을 받을 수 있다면
우러러볼 만큼 높지 않아도
우연히 눈높이가 맞아서 시작되는 사랑이 있다면

건물들 사이의 별은 은하수를 따라잡지 않아도 되고

돌담 사이의 꽃은 그 자리에서 피다 시들어도 되며
당신이 언젠가 나를 사랑하게 되지 않아도 괜찮다

더 이상 내게 특별한 조명이 비춰질 때까지
기다리지 않을 것이다
모두에게나 비춰지는 햇살을 마음껏 받으며
예쁘게 포장되어 나오지 않는 순간들을
선물처럼 여기며 살아도 될 것이다.

안녕이라는 말

우리는 안녕이라는 말을 너무 쉽게 하고
가끔은 너무 어렵게 하기도 한다

늘 같은 인사, 같은 말, 안녕
똑같이 살랑이는 손과 마음
그렇게 익어가는 시선들을 쌓아나가다

함께 해가 뜨기를 기다리다가
기적같이 이해를 맞고
밤하늘의 별을 함께 세어보다
이별이 손가락 끝에 걸리듯

똑같이 안녕이라는 말로
손끝으로 이어진 체온을 끊어내고

길거리의 여느 사람들과 다를 바 없이
서로를 스쳐 지나가는 순간이
우리에게 모두 남아 있을지 모른다

그래서 일단은 안녕이라는 말에
제한을 두어서 서로를 달래어 본다
안녕, 내일 다시 보자
안녕, 다음에 또 보자
안녕, 언젠가 우리 꼭 만나자
그러다
안녕 -

나는 안다, 언젠가
반대쪽으로 천천히 식어가는
너의 발소리를 들으며

한 번도 주의 깊게 보지 않았던 너의 뒷모습이

점점 작아지고 흐릿해질수록

가슴에 더 깊이 새겨질 것을.

연극이 끝나고

배우들이 백스테이지의 삶에 적응해 가듯이

나도 옆자리가 빈 버스를 타고

나름대로의 안녕을 찾아 갈 것이란 것을

우리가 나눌 수 있는 진심은

결국 하나뿐이라는 것을 알았기에

네가 잘 지냈으면 하는 마음과

나 없이는 너무 잘 지내지 않았으면 하는

마음을 담아서

네게 인사를 건낸다,

안녕.

사랑하는 사람에게, 은하에서

네가
나의 어둠에 별처럼 굴러와 박혔다
네가 밀어내고 차지한 자리에
원래 무엇이 있었는지 잊고
너를 기다리는 시간에
원래 무엇을 했었는지 잊는다

나에게 굴러오는 수많은 일들 중에
흘려보내는 것은 모두 네가 아닌 것이고
손에 꼭 쥐어 기억한 것이 너이기 때문이다

사랑하는 사람아
우리는 우산을 가져오지 못한 날
비를 맞듯 괴로움을 맞고
어느새 갠 하늘을 보고 걸어 나오듯이

아픔을 회복한다
우리는 한 번의 잘못으로 열 번의 후회를 하고
한 번의 따스한 말로 열 번의 비난을 견딘다

우리는 감사한 기대 속에서도
남모를 부담을 지고 살아가고
영문도 모른 채 우리가 한 일들의
상과 벌을 받는다

우리는 삶에 대한 답을
매일의 빈칸에 열심히 적어 보지만
마지막 날을 다 쓰기까지도 답을 알 수 없으니

인생이 어떤 의미인지
너에게 당장 말해 줄 수 없지만 말이다,

사랑하는 사람아, 그러나
너를 만남으로 인해
내가 목표도, 의미도 없이 방황하던 시간들은
너를 향한 긴 여정이 되었고
네가 나를 만나기 전에 참아왔던 울음들은
네가 나에게 안겨 와줄 좋은 핑계가 되었다.

그러니 네가 걸어가는 길이 어떤 의미가 있는지
너는 너무 걱정하지 말아라.

별이 흐르듯 사람은 서로에게서 멀어지고
별이 지듯 우리는 서로를 보지 못하게 된다
우리가 길을 달리하여 각자의 삶을 살게 된다면
각자에게 더 좋은 사람을 만나고

더 재미난 얘기를 들고 와 나누기 위함일 것이다.
우리가 서로는 모르는 실패와 어려움을
많이 겪는다면
나중에 털어놓을 하소연 거리를
더 만들기 위함일 것이다.

그러니 우리에게 숙제처럼 던져진 이별을,
죽음을, 너무 두려워 말아라.
네가 아무 이유 없이 내게 와 스친 것처럼
그저 찾아오는 기적과 행복을 맞아주며 살아라.

2인칭 단수의 유사어

온갖 3인칭 단수로만 이루어진 세계
문법은 인간을 무언가 가리키지 않으면
직성이 풀리지 않은 존재로 만들었고
복수형은 위에서 한꺼번에 내려보지 않으면
만족하지 못하는 병을 퍼뜨렸지

절대 터지지 않는 빗방울처럼
사람과 사람은 함께 쏟아져 나올지언정
섞이지 않고
불안정한 유리병처럼 버스에서 함께 흔들려도
본심은 절대로 흘러넘치지 않았다

그가 본다 그가 웃는다 그는 말한다
그가 돌아선다 그는 가리킨다

3인칭 단수의 세계는 안쪽에서 보면
사실 1인칭 단수의 세계
나는 나 말고는 아는 게 없다 그러나
나는 나를 잘 알지 못한다 그저 나는 나라는 것
나는 죽음을 곡하는 울음소리를 듣는다
내가 죽은 건 아닌 것 같다
내 귀에서는 경쾌한 가락이 울린다
나나나 나나나나 나나나 나나난나

그러다,
밖으로만 향하던 팔 하나가
눈을 마주친 순간 기적처럼 안으로 굽었다.

너는 나를 본다
너는 막 밝아오는 아침처럼 웃는다

처음 드러낸 치아가 구슬같이 부딪힌다

너는 내게 안녕, 하고 말을 한다

너는 일직선으로 뻗은 길을 막고선 나와 마주 본다

너는 손가락을 뻗어

너와 나를 번갈아 가며 가리킨다

나무로 만들어진 우리가 소나 돼지를 가둬 둔다면

1인칭 복수로 이루어진 우리는

너와 나를 묶어 둔다

너로 시작하는 많은 문장들이

부피는 없이 질량만 커져 가서

정갈하게 분리돼 있던 세상을 계속 삼켰다

언어학자들이 동의하지 못해

사전에도 등재할 수 없었던 사랑이란 말을

이제는 너라는 말 옆에 실을 수 있게 되었다

2인칭 단수의 유사어는 사랑이다, 그렇게 말이다

빗물 같은 위로

당신에게 줄 말을 고르는 것은
기다렸던 외출에 입고 나갈
옷을 고르는 것보다 어렵다
어떤 말들은 이미 유치해져 버렸고
어떤 단어들은 내가 입기에 너무 거창하다

당신에게 건넬 위로를 고르는 것은
들꽃을 꺾어
근사한 꽃다발을 만드는 일보다 어렵다
꽃은 따기 전이 가장 아름답듯이
글자들은 쓰기 전이 훨씬 진실되고
지나친 땀과 열기에 진심은
금방 시들어 버리기 때문이다

그러나 굳이 말을 꺼내자면

빗물 같은 위로가 당신에게 쏟아졌으면 한다
고심해서 고른 단어들보다
아무래도 좋을 그런 말들이
피할 새도 없이 당신을 적셨으면 한다
후덥지근할 때는 시원하고
추울 때는 따스한 빗줄기가
이런저런 잡념들을 당신의 머리에서 씻어 내고
그저 웃어넘길 수 있는 일들만 맺어 버렸으면 한다

빗물 같은 위로가 종일 당신에게 내렸으면 한다
그늘 대신 펼쳐 든 당신의 우산도 어쩔 수 없도록
잔뜩 젖은 옷들을 벗어 말려 두고
향긋한 내일을 걸칠 수 있도록
외로운 지붕의 틈새로 뚝뚝 비가 새어 들어와

당신이 매일 눈물로 채워야 했던 양동이가
이젠 빗물로 찰랑일 수 있도록

잊어버려도 되는 이야기들로 잠시 목을 축이고
지키지 않아도 되는 약속을
잠시 무지개처럼 기다리며
당신이 살았으면 한다

태양이 다시 떠서 창문을 열 수 있을 날까지
빗방울같이 소소한 소식들로 당신의 창가를
두드리고 싶다

4부

바람 같은 기도

기도는 마치 바람처럼
보이지 않지만 계속 흐르는지도
아니면 누군가의 간절한 바람처럼
목 놓아 기적을 부르며 서 있는지도

흔적

갈라진 나무등에 당신의 필체가 있습니다
구름이 놓여진 데에는 당신의 손길이 묻었고
오므린 꽃잎은 당신이 만들었다는 도장 같습니다

햇살에도 당신의 체온이 아직 남았는데
내게는 당신의 손길이 남았을까요
당신의 손가락들이 지나간 흔적이 있다면
오래오래 지워지지 않고 남았으면 합니다.

미완성작

나를 다시 지으시려고 매번 무너뜨리셨나요
바르게 서는 법을 알려주시려고
매번 넘어뜨리셨나요
새 살이 돋아나도록 계속 상처를 내셨나요

다 알 수야 없겠지만은
이제는 조금 알 것만 같습니다
다시 사는 법을 알려주시려 나를 죽이실 때까지
나는 조금씩 알아갈 것만 같습니다.

소원

나의 모든 말이 간증이 되게 하시며

나의 모든 행동이 역사가 되게 하시며

나의 모든 숨이 성령이 되게 하시며

나의 생각조차 기도가 되게 하소서.

소원 2

나를 더 아둔하게 하시어

당신의 지혜를 구하게 하시며

나를 더 나약하게 하시어

당신 없이는 움직이지 않게 하시며

나를 더 빈궁하게 하시어

당신만으로 채워지게 하소서

나침반이 방향을 잃을 때

주님
난 알고 있습니다
당신은 하나님이시며
당신은 존재하십니다
무엇보다 당신은
당신만은 선하십니다

그러나 주님
당신은 가르쳐주지 않습니다
당신이 어디 계시는지
어떻게 선한 뜻을 이루시려 하시는지
내게 수많은 바늘들이 있건만
하나도 정답을 가리키지 못합니다

핏대를 세워 당신의 이름을 불러 봅니다

당신이 친히 나타나 주시기만을 기다립니다
대답이
없습니다

머릿속엔 끝없는 질문들이 유랑합니다
어지러운 나침반은 다시 당신을 찾아
빙글빙글 돕니다
눈금이 새겨진 양초는 안타깝다는 듯 깜박댑니다
시간은 앞질러 저만치나 갔는데
내 나침반이 길을 잃어서
나는 한 발짝도 못 떼고 있습니다

주님 주님
당신은 정녕 누구십니까
당신이 누구신지 찾다가

어디 계신지 찾다가
내가 누군지
내가 어디 있는지 조차 잊어버렸습니다
지나가는 행인이
내게 왜 이 순례길을 걷는지 물어도
한 서린 얼굴로 고개만 저을 뿐입니다
“몰라요 나도 모릅니다”
내 바늘이 가르쳐 주는 방향으로만 왔는데
보이는 건 황량한 광야입니다

주님 당신은
길이 없는데 가라 하십니다
시간이 없는데 기다리라 하십니다
아무리 봐도 소망이 없는데 기도하라 하십니다

당신이 어디 계신지 모르는데 어서 오라 하십니다

주님

도무지 전

이해가 가지 않습니다

하지만 당신께서도 저 못지않게 고집쟁이시라면

그래요 한번 해 보겠습니다

당신과 가는 길은 밑져야 본전 아니겠습니까

어쩌면 뭐든지 다 이해하고

뭐든지 다 알고 시작하려는 인간의 관습은

그저 고집스런 버릇이었을지 모릅니다

길이 없어도 한번 가 보겠습니다

어쩌면 마법주문 같은 당신의 이름을 부르다 보면
당신으로 가는 길이 열릴지도 모릅니다

그래요 기다려도 보겠습니다
초가 다 녹아서 그 눈물이 발아래 흐를 때까지
얼마나 도움이 될지는 모르겠다만
두 손 다소곳이 모아 기도도 한번 해 보겠습니다

어른들이 말했듯이
앞이 까마득해도 되는대로 살아 보는 겁니다

그런데 주님 이상합니다
나침반은 잃어버렸고
한 번도 와보지 않은 곳이고
어디로 가야 할지 모르겠고 낯설기만 한데

참 이상하게

정말

평안합니다.

바람

다른 쪽 벽에 부딪혀 돌아오는 숨소리에
당신의 목소리가 들립니다

나를 잡아끄는 손가락들에 이끌리면
돌아본 곳에 당신이 있습니다

가끔은 고개를 들면
당신의 얼굴에 부딪힐 것만 같고
가끔은 지나간 꿈속의 존재처럼
없어진 것만 같을 때
어딘가 눈앞에 번뜩이고 지나간
당신의 형태를 되새기며
떠나온 길을 되짚듯 당신을 찾습니다.
어딘가에서 내 길을 이끌고 계시다 믿으면서
당신과 함께일 만한 곳을 찾아 갑니다.

위치

성령께서 시작하신 불길,
나는 꺼트릴 수 없습니다.
성령께서 일으키시는 바람,
나는 멈출 수 없습니다.

당신이 이끄시는 곳으로 달려갈 뿐입니다.

낮은 곳에서 하나님이 계신 높은 곳으로
내 기도가 올라갈 때,
아니면 높고 거룩하신 성령님이
직접 낮은 내 마음에 내려오실 때,
그 어느 것보다도 작고 보잘것없는 나는
세상의 중심에, 아니 이 우주의 중심에 섭니다.

그곳에서 나는 나를 잃으며
더 진실된 당신이 됩니다.

뒷모습

당신의 뒷모습이 나의 세상입니다.
길에서 보이는 그 어떤 풍경도
나에겐 필요하지 않습니다.

당신의 뒷모습이 나의 이정표입니다.
다른 지도는 찾아볼 필요 없습니다.

당신의 그림자를 밟아 나간 곳에
내가 살아갈 삶이 있습니다.

기울기

마음이 꺾여 버린 줄 알았습니다.
당신에게로 기울기 전에는

마음이 무너져버린 줄 알았습니다.
그것으로 길이 깔리기 전까지는

마음이 꺾이고 무너져 내릴 때에는
당신이 있는 방향을 기억하겠습니다.

잠수

숨 쉬는 게 힘들 때면
당신이 우리를 숨 쉬게 하기 위해 참으셨던
숨을 생각해 봅니다

혹여라도 빠질까 봐
아무도 가까이 가지 않던 그 오물 구덩이 속으로
숨을 참고 잠수했던 당신의 용기와
다시 나오지 못할까 봐
구명조끼를 들고 당신 앞의 모래사장을 서성였던
나의 비겁함을
다시 돌아가 생각해 보면

나는 숨을 참고 잠수를 합니다
얼마큼 당신의 고통 속으로
가라앉을 수 있는지 시험해 보면

숨이 쉬어지지 않아도

그저 살아갈 수 있다는 생각을 합니다.

에필로그

내 빛들로 별자리를 엮을 당신에게

내 빛들로 별자리를 엮을 당신에게

우리는 유난히 하늘이 맑은 저녁에 담요를 들고 옥상으로 향합니다. 밤 기온이 낮에 비해 훨씬 떨어진다는 방송을 들었음에도, 나는 코코아가 든 병을 쥐고 겉옷 따위 걸치지 않습니다. 제법 차가운 바람에 내가 연신 기침을 하자 당신이 혀를 차며 재킷을 벗어 줍니다. 나는 은근히 묻어나는 당신의 온기와 냄새에 감싸여서, 하늘에 하나둘씩 피어오르는 별을 구경합니다.

우리는 유난히 밝고 큰 저 빛이 별인지 인공위성인지에 대해 다툽니다. 내가 저렇게 밝은 것들은 다 인공위성이라 하자 당신은 내게 책에서 본 시리우스라는 별이 분명하다고 끝까지 주장합니다. 우리는 결국 결론을 내지 못하고, 인공위성이든 별이든 밝고 예쁘니 되었다고 웃어 넘깁니다. 얼마 뒤, 당신이 하늘 한쪽을 가리키며 저 별들이 지금 우리를 그린 것 같다고 합니다. 내가 아무 질서 없이 동떨어진 별들이 어떻게 그런 모양을 나타낼 수 있냐며 웃자, 당신은 손가락을 들어 별들을 이어줍니다. 그때, 아무런 눈길도 준 적 없었던 하늘 한 구석이 우리를 영원히 간직한 별자리가 됩니다.

그 전까지만 해도 나는 염소자리니, 처녀자리니 하며 별별 조잡하게 이어 놓은 별들에게 억지스러운 이름을 붙여놓는 걸 늘 비웃었습니다. 그러나 그 밤만큼은 아무 별이나 다 이어서 온갖 형상으로 만드는 사람들의 마음을 이해해 버렸습니다. 언젠가 빛을 빛 자체로만 볼 수 없는 날이 우리에게 오고, 그때에는 뭐라고 형언할 수 없는 괴롭고 아름다운 순간들에 우리는 억지로라도 이유를 부여하고 싶은 것입니다. 약간의 상상과 경험을 보태 이 기이한 삶을 이해할 수 있다면 우리는 기꺼이 그렇게 합니다. 결국, 정말로 별자리가 염소나 처녀를 닮았는지는 중요하지 않았던 겁니다. 우리는 아마 아무렇게나 흩뿌려진 별들을 가지런히 엮어서, 이 별자리가 당신을 닮았더라고 말하고 싶어서 그렇게 오래 별들로 그림을 그렸는지도 모릅니다.

지금 내 하늘에는 전에 볼 수 없었던 별들이 많이 모였습니다. 나도 당신처럼 손가락을 들어 별자리를 만들어 볼까 했지만 어쩐지 잘 되지 않고, 내가 상상한 도형들이 무엇을 닮았는지 잘 모르겠습니다. 그럴 때면 하늘에서 가장 밝게 빛나는 별들부터, 나의 눈이 닿지 않는 별들까지 모두 당신의 것으로 하면 좋겠습니다. 당신이 마음대로 엮어 올리고 이름 붙일 수 있는 별들을 잔뜩 가져다 드리고 싶습니다. 내가 미처 생각하지 못한 별자리를 당신이 상상해 내고, 하늘의 한 부분이 어떤 것을 닮았는지 당신이 말해 주면 좋겠습니다. 내가 인공위성이라고 단정 지은 것들을 당신이 별이라고 우겨 주어도 좋겠습니다. 그러면 이 밤하늘이 좀 덜 낯설 텐데 말입니다.

하지만당신은지금내곁에없습니다.

당신은 같은 자리에 늘 서 있습니다. 내 기억 속에 당신은 아직 그 옥상에서 별들에게 의미를 찾아주고 있습니다. 하지만 별들은 끊임없이 흘러가고 애써 그려 본 모양들은 흐트러집니다. 우리는 그 자리에 있지만 세상이 돌아가기 때문입니다. 때문에 당신은 아직 거기에 있고 나는 계속 떠내려만 갑니다. 지구가 멈추는 기능을 상실한 기계처럼 돌아가고, 삶이 예의 없는 왈츠 파트너처럼 나를 이리저리 돌립니다. 하지만 우리를 닮은 별자리 앞에 내가 언젠가 멈춰 설 것을 알기에, 나는 항상 어지럽혀진 하늘을 올려다봅니다.

아직 이름 붙여 주지 못한 별들이 아무런 형태랄 것도 없이 내게 물결쳐 옵니다. 언젠가 내 별들을 엮어 우리의 이야기를 담은 별자리를 만들 당신에게, 내가 아직 이해하지 못한 하얀 빛들을 많이 남겨두려 합니다. 어떤 의미도, 목적도 줄 수 없었던 반짝임들도 그런대로 아름다웠다고 당신에게 고백하고 싶습니다.

괴롭고 아름다운 순간들, 벌써

– 박하은 시집

『내 빛들로 별자리를 엮을 당신에게』에 대하여

김 재 홍 시인 · 문학평론가

괴롭고 아름다운 순간들, 벌써

- 박하은 시집
『내 빛들로 별자리를 엮을 당신에게』에 대하여

김 재 홍 시인 · 문학평론가

나를 더 아둔하게 하시어
당신의 지혜를 구하게 하시며
나를 더 나약하게 하시어
당신 없이는 움직이지 않게 하시며
나를 더 빈궁하게 하시어
당신만으로 채워지게 하소서
-「소원 2」 전문

청년기에 벌써 문단 말석에 이름을 올린 문사들이 종종 있었다. 누구는 호들갑스럽게 소년등과를 상찬했고, 어떤 이들은 천재의 탄생을 드러내지 않고 기꺼워하였다. 그리하여 더러는 문재를 살려 빛나는 작품을 낳았고, 때로는 별다른 성취 없이 등과에 그친 경우도 있었다. 그러나 어느 경우에도 문학이 무엇을 할 수 있는지, 작품이 무엇을 해야 하는지 천부적으로 깨달은 젊은 영혼을 부러워하지 않는 이들은 없었다.

한국 시단에 새로운 시어를 선사하는 박하은의 이번 시집도 마찬가지다. 세속의 나이를 무색하게 하는 시적 통찰의 깊이라든가, 재기 발랄한 시어들의 율동감 넘치는 경영이라든가, 품고 있는 세계의 넓이라든가 하는 것들은 오히려 부차적이다. 우선 많은 이들이 오직 그녀의 생물학적 연령이 주는 강렬한 새로움에 놀라게 될 터이다. 그것은 누구에게나 부러움의 대상이다.

그러므로 우리는 이 한 권의 시집을 읽으면서 잊어서는 안 될 몇 가지 규준을 마련해야 한다. 우선, 나이에 대한 선입견을 버려야 한다. 시심은 나이를 탓하지 않는다. 노경에 이르러 시안(詩眼)이 열린 많은 시인들이 있는 것과 마찬가지로 약관에 절정을 구가한 시인들도 얼마든지 있다. 이것이 또한 문학만이 가지는 비의(秘義)이기도 하다.

시를 기교주의적 맥락에서 이해하는 타성도 배격해야 한다. 이미 고려조 이인로(1152~1220)와 최자(1188~1260)의 의사(意辭) 논쟁에서 알 수 있듯 시는 언제나 종합명제이다. 시에서 술어 개념은 주어에 포함되지 않는다. 시인은 내용과 형식을 분리하지 않는다. 작품의 외적 형식은 시인의 내면과 호응하면서 서로 떨어질 수 없는 한 몸을 이룬다. 그러므로 모든 시편들은 각기 하나의 우주를 형성하는 것이지, 요소들로 분해되어 수사적 · 법칙적으로 수렴되는 것을 거부한다. 바로 이것이 데리다가 "문학의 탄생은 곧 종말"이라고 말한 이유이다. 좋은 작품은 단 한 번 태어난다. 우리는 복제를 불가능하게 하는 시의 본성을 따라 박하은을 읽어야 한다.

또한 파괴를 요구하지 말아야 한다. 시란 새로움을 향한 분투일망정 양식의 전복을 의도하지 않는다. 예측할 수 없는 우발적인 한순간 나타난 최상의 시가 어떤 다른 양식을 보여주었다면, 그것은 새로움이었지 전복이 아니다. 시는 일체의 의도성으로부터 자유로워야 하고, 그럴 때 새로움은 비로소 기지

개를 켠다. 그러므로 이제 첫 시집을 내는 새 시인이라고 하여 파괴를 요구해서는 안 된다. 그것은 반시적인 주문이다.

이 세 가지 규준은 독자만 아니라 시인이라면 누구라도 주목할 일이다. 나이를 의식하여 과소한 시 의식을 가져서도 안 되겠지만, 동시에 과도한 욕망을 정당화해서도 안 될 터이다. 또한 작품을 기교주의의 결과물로 보아서도 안 되겠다. 시시각각 변화하는 세계의 한순간에 주목하고, 한 작품에 자신의 모든 것을 바치는 종합을 통해 최상을 이룩하겠다는 도저한 정신이 필요하리라. 그것은 물론 파괴가 아니라 새로움의 창조여야 한다. 새로움이 창조이고, 창조는 곧 새로움이다. 그것은 결코 파괴일 수 없다.

"꿈을 꾸었다/ 그리고 너무 일찍/ 그 꿈에서 깨어 버렸다"(「꿈에서 깨어」) 우리는 이렇게 말하는 박하은을 통해 '꿈꾸는' 나이와 '꿈을 깨는' 나이가 따로 정해져 있는 게 아님을 안다. 별에서 시작해 별로 이어지는 박하은의 첫 시집 『내 빛들로 별자리를 엮을 당신에게』를 따라 우리는 생을 대하는 한 젊은 영혼의 예민한 시적 감성을 확인한다.

흩뿌려진 별들을 가지런히 엮어서

여기 한 낭만적 영혼이 있다. "어떤 밤들은/ 가장 끔찍한 악몽마저도 비웃는다."(「악몽을 꾸면 키가 자라듯」)고 말하는 조숙한 영혼이다. 낭만은 값싼 슬픔이 아니며, 모든 것을 포기하는 무기력도 아니다. 낭만은 고고한 청춘의 맹목적인 이상도 아니며, 신산고초를 겪을 대로 겪은 실패한 인생의 탄식도 아니다. 박하은은 "무정히 뜯기고 씹히고 삼켜"지면서도 '어른'이 되겠다고 다짐하는 영혼이다. 그런 점에서 이 시집이 보여주는 낭만성은 매우 정통적인 위상을 갖는다.

주지하다시피 낭만은 신-인간의 수직적 세계를 인간-인간의 수평적 체계로 전환시킨 대역사의 한 축이었다. 그렇다고 신이 배은망덕한 피조물들을 모두 내버린 것은 아니었지만, 인간들은 감각-이성에 대한 이념화를 통해 자신들이 세상의 주인이며 영도자라는 생각(욕망)을 벼려 왔다. 그것은 비록 유일한 정답은 아니었지만, 세계를 이해하는 인간 정신의 감도를 한껏 높여준 것이기도 했다. 낭만은 그렇게 민감도 높은 정신이다.

그러므로 시적 낭만은 성채를 지었다 부수고, 다시 지었다 부수는 인간의 숙명과 같다. 그것은 영원히 회귀한다. 내 눈에 보이는 것, 내 귀에 들리는 것, 내 입으로 느낄 수 있는 것, 내 손으로 만질 수 있는 것들은 인간이 확인할 수 있는 세계의 '모든 것'이었으며, 그것이 '진짜 세상!'이라고 말하는 순간 그것은 무너진다. 박하은의 시가 보여주는 낭만적 정통성은 끊임없이 새롭게 태어나는 회귀에 있다.

> 어둠은 경계들을 허문다
> 내 방과 우주 공간의 경계를 허물고
> 나와 공허의 경계를 허물어 버린다

불을 끄고 창문을 닫으면

가끔 나는 내가 아니다

나는 분명 방 안에 있는데

나는 또 어딘가에서 떠다니고 있고

내가 분명 걷고 있는 지금은

멀리 떠난 과거나 깨지 못한 꿈이 되어 있다.

방 안에 갇힌 내가

가슴을 잡고 신음하는데

그 아이는 내가 아니다

어둠 속에 갇힌 내가

얼굴을 바닥에 대고 숨죽여 우는데

그 아이는 내가 아니다.

-「잠 못 드는 밤 2」 전문

어둠과 마찬가지로 시인들은 본능적으로 경계를 무너뜨린다. 그들은 법칙을 부정하고 규범을 해

체한다. 경계의 어느 한 편에 서서는 시를 받아 적을 수 없는 법이다. 여기서 보듯, '모든 경계에는 꽃이 핀다'(함민복)는 말은 그것이 함축하고 있는 탈경계의 메시지로 읽어야 한다. 더 나아가 박하은은 "가끔 나는 내가 아니다"라고 말한다. 데카르트 이래 코기토(cogito)가 이끌어 온 주체의 죽음을 인식한 것인가.

박하은에게 있어 '새로움의 회귀'는 무엇보다 경계의 무화에 있다. 시적 화자가 창문을 닫고 갇혀 있는 곳과 어딘가에서 떠다니고 있는 공간은 다르면서도 같다. 공간적 경계의 무화. 또한 "내가 분명 걷고 있는 지금은/ 멀리 떠난 과거나 깨지 못한 꿈이 되어 있다."며 시간까지 비튼다. 시간적 경계의 무화. 「잠 못 드는 밤 2」가 보여주는 바는 시인들에게는 무경계가 유일한 경계라는 사실이다.

"바람은 모든 말 없는 것들의 목소리/ 모든 움직이지 않는 것들의 춤"(「채색의 경계」)이라는 깨달음도 낭만적 정통성의 한 사례로 부를 만하다. 지나가는 바람에서 목소리를 듣고, 그것에서 움직이지 않는 것들의 춤을 본다는 것은 신비주의자의 요설이 아니다. 이를 두고 낭화(朗話)라고 할 수는 없겠으나, 바로 그렇기 때문에 무경계의 카오스모스적 존재론에 가 닿는 것이다.

바람처럼

햇살처럼

달빛처럼

부드럽게 다독이는 너 그런 글 되어라.

꽃처럼

불꽃처럼

한여름의 사랑처럼

열정으로 타오르는 너 그런 글 되어라.

천둥처럼

우레처럼

솟아오른 파도처럼

온 세상 뒤흔드는 너 그런 글 되어라.

한 글자 한 글자 지나갈 때마다
사람의 가슴속에 내려앉는
한 문장 한 문장 읽어 나갈 때마다
사람을 웃기고 울리는

울려 퍼지는 종소리처럼
천상의 음악처럼
막 핀 꽃의 애처로운 마지막 노래처럼
사람의 마음을 울리는
너 그런 시 되어라.

-「시」 전문

만일 우리가 하늘 가득 "흩뿌려진 별들을 가지런히 엮어서, 이 별자리가 당신을 닮았더라고 말"(「내 빛들로 별자리를 엮을 당신에게」)을 할 수 있다면, 온통 불규칙한 카오스적 우주에 질서를 부여하는 코스모스의 신이 될 수 있을지 모른다. 모든 가능한 것들을 실현하고, 모든 존재들에 이름을 부여하는 절대적이고 영원한 코스모스 말이다. 그러나 여기서 보듯 이 예민한 영혼은 잘 알고 있다. 세계는 결코 코스모스가 아니라는 것을.

“부드럽게 다독이는”, “열정으로 타오르는”, “온 세상 뒤흔드는”, “웃기고 울리는”, “마음을 울리는” … 시는 그런 역할을 할 수 있어야 한다. 세상은 이미 꾸깃꾸깃 구겨져 있고, 온통 주름져 있으며, 부서지고 깨어지고 뒤죽박죽 흩어져 있다는 것을 잘 알고 있는 언어이다. 코스모스에 대한 부정이 곧 카오스에 대한 긍정인 것은 아니다. 외려 그것은 강한 대립일 뿐이다. 그런 점에서 박하은의 「시」는 카오스모스(chaosmos)에 대한 통렬한 인식이라고 할 수 있다.

이것이 바로 영원히 회귀하는 새로움이자 정통적 낭만성이다. 시란 영광의 궁전에 무늬를 덧대는 예술이 아니라, 고통의 움막에 희망의 불씨를 지피는 언어임을 이 예민한 영혼은 벌써 깨닫고 있다.

이 기이한 삶을 이해할 수 있다면

그러나 우리는 알 수 없다. "맑게 빛나는 눈동자에 어떤 비수가 서려 있을지/ 꽁꽁 얼은 입가에 어떤 미소가 피어났는지/ 높이 쳐든 목에 어떤 고독이 털실처럼 감기는지"(「얼굴」) 말이다. 얼굴에는 그 사람의 모든 것이 들어 있다는 세간의 말도 있지만, 정작 우리는 '모든 것'을 알지 못한다. 모르기 때문에 사랑할 수 있고, 그렇기에 추억할 수 있으며, 바라고 희망하고 기도할 수 있다.

박하은의 말처럼 "이 기이한 삶을 이해할 수 있다면"(「내 빛들로 별자리를 엮을 당신에게」) 우리에게 남는 것은 아무것도 없으리라. 수백만 년 인간의 역사를 통해 쌓아 온 모든 경험적 유산들이 일시에 사라지리라. 가난하기에 염원하고, 아프기에 기도한다. 이별을 슬퍼하고 만남을 기뻐하는 이치는 우리가 이 세상에 대해 아는 게 별로 없기 때문이다. 그러므로 "어떤 이는 내 눈에서 죄인(罪人)을 읽어가고/ 어떤 이는 내 입에서 천치(天癡)를 읽고 가나/ 나는 아무것도 뉘우치지 않을란다."(서정주, 「자화상」)라는 표현은 당당한 인간적 자부심이라고 할 수 있다.

태양이 물속에서 헤엄을 친다
한 마리 거대한 금빛 물고기 같이
밤에는 달이 잠자리같이 날아와
태양이 꼬리를 휘저었던 곳에 내려앉고 간다

공간은 접힌다
시간엔 주름이 진다
여러 차원들이 얇은 표면을 공유한다

내 영혼에는
얼마나 많은 주름들이 있을까
그건 아마
저 강에 퍼지는 물결만큼

저 강에는 또

얼마나 많은 주름들이 있을까

그건 아마

내 영혼에 울리는 물결만큼.

-「주름」 전문

주름 없는 펼침은 없다. 슬픔 없는 기쁨도 없으며, 죽음 없는 삶도 없다. 태양도 달도 물고기같이 물속에서 헤엄을 치고, 그 물결을 따라 공간은 접히고 시간은 주름진다. 박하은은 여기서 한 발 더 나아간다. 비틀린 시공이 영혼으로까지 상승한다. 물질적 주름이 영혼 안의 주름으로 전이된다. 물질의 겹주름과 영혼 안의 주름을 얘기하는 라이프니츠(1646~1716)의 모나드론을 상기시킨다. 그도 벌써 이를 깨달은 것인가.

"태양이 물속에서 헤엄을 친다"는 표현은 비유가 아니다. 이에 대한 가장 현대적 해석은 실제로 태양은 물속에서 헤엄을 친다는 사실을 인정하는 데 있다. 이것은 양자역학의 다중우주론만 아니라 벌써 수백 년 늙어 지친 낭만주의자의 정통적 인식이다.

임계 속도를 넘긴 물결은 거대한 철벽이 된다. 시간이 연장된 암벽은 흘러내리는 물줄기가 된다. 그러므로 '내 영혼' 속 주름진 세계도 그러하다.

마음이 너무 커서
마음을 접어야 했던 소년이 있었다

비가 오면 가장 먼저 젖는 마음
바람이 불면 가장 먼저 펄럭이는 마음
소년은 그 마음을 일단 접어 놓곤
밤마다 몰래 펼쳐 보곤 했다

소년은 마음으로 비행기를 접어보고 싶었다
그러나 부모님은 먼저 30평짜리 집을 접어 보라 했고
소년은 마음에 미래를 그려 보고 싶었지만
선생님은 먼저 수학 공식을 베껴 오라 했다
그러다 소년의 마음은
집도 비행기도 아닌 것으로 구겨지고 말았다

한때 소년이었던 청년은

구겨진 마음으로 한 사람을 품었다

그런데 사람은

소년의 마음을 깨고 사랑으로 부화해

다른 둥지로 날아가 버렸다

그렇게

아무렇게나 널브러진 그의 마음 조각엔

눈물 자국만 남아 무늬가 되었다

소년이었고

또 청년이었던

그 노인은 이제 찢어진 마음 조각 하나마다

시 하나씩을 적는다

마음대로 되지 않았던 것들에 대하여

마음의 틈새에 꼭 맞았던 작은 손가락들에 대하여

아직 펼쳐보지 못한 미래에 대하여

그리고

마음이 너무 커서

마음을 접어야만 했던 한 소년에 대하여

-「마음이 너무 컸던 소년」 전문

이 작품은 한 정통적 낭만주의자의 새로운 언어로 채워진 이번 시집의 시편들 가운데에서도 돋보이는 가작이다. 이를 제2회 시마청소년작품상 수상작으로 고른 심사위원들의 안목이 돋보인다. 시란 젊음의 예술이며 낭만은 청춘의 사유라고들 하지만, 이처럼 집요하게 한 소년의 삶을 예민하게 감각한 시는 흔하지 않다. 그렇지 않은가. 우리는 모두 "마음이 너무 커서" 그 마음을 접고 살아온 것 아닌가. 누구는 그것을 운명이라 말했고, 누구는 그것을 실패자의 고백이라고 말해 왔을 뿐이다.

우리는 "이 기이한 삶을 이해할 수" 없기에 오늘도 최선을 다해 살아간다. 마음은 접지만 몸은 접지 않고 살아간다. 이러한 깨달음을 29행의 유장한 가락으로 갈무리하는 솜씨가 신예의 경계를 넘는다. 우리도 저마다 "아직 펼쳐보지 못한 미래에 대하여" 찢어진 마음 조각 하나씩 적겠다는 다짐을 해야겠

다. 그러다가,

창문 앞에 누워 슬픔 하나 기쁨 둘

사랑 셋 미움 넷

그렇게 세어가며

산다는 게 무언지 죽는다는 건 무언지 질문하다가

- 중략 -

죽음은 모든 것의 끝이 아닌

또 다른 하나의 시작이니까요.

-「고인의 말」 부분

우리는 "내가 태어난 그 집으로 돌아갈 때"를 만날 것이다. 그러나 그 집은 종말의 공간이 아니라, 새로운 시작의 시간일 터이다. "죽음은 모든 것의 끝이 아닌/ 또 다른 하나의 시작이니까요."(「고인의 말」) 이런 인식을 정련된 언어로 시화(詩化) 할 수 있는 사람이라면, 그가 시인이 아니면 누구이겠는가.

나의 눈이 닿지 않는 별들까지 모두

"하지만당신은지금내곁에없습니다."(「내 빛들로 별자리를 엮을 당신에게」)

무엇이 이 젊은 영혼에 이처럼 날카로운 빗금을 그었을까. '무는 없다'(베르그송)고 했지만, 세속을 사는 우리에게 '없음'은 결핍이자 공허일 수밖에 없다. 없어진 것은 무엇이며, 사라진 것은 무엇인가. "흩뿌려진 별들을 가지런히 엮"겠다는 다짐이 근거 없는 감상적 포즈가 아님을 여기서 확인한다.

그러므로 "우리를 닮은 별자리 앞에 내가 언젠가 멈춰 설 것을 알기에, 나는 항상 어지럽혀진 하늘을 올려다봅니다."(「내 빛들로 별자리를 엮을 당신에게」)라는 고백은 읽는 이들의 마음에 깊은 공감의 울림을 줄 것이다. 우리 모두는 하늘의 궁전에서 무슨 죄를 짓고 이 지상으로 추락한 가여운 영혼들이기 때문이다.

때문에 카오스로 보이는 별자리들에 이름을 부여하고, 그것들의 무작위한 메시지에 귀를 기울이는 이 여린 영혼은 다음과 같이 노래한다.

거울 속에

애인을 숨겨 놓았습니다.

영원 같은 유리막을 사이에 두고

“사랑해”의 입 모양은 보이건만

아무 소리도 내지 못하는 나의 애인

입맞춤조차 해주지 못하는 애인이 있습니다.

거울 속에

원수를 가두어 놓았습니다.

온갖 저주를 퍼부어 대도

조롱 섞인 목소리로 나의 말을 그대로 따라 하고

성난 주먹으로 내리쳐도

수십 개의 형상으로 반사되어

나를 응시하는 원수가 있습니다.

거울 속에

나의 분신이 가끔 나타나옵니다.

가끔 그 분신이 내가 아닐까 생각하지만

아니라는 걸 알고 있습니다.

나의 미워하는 애인과

사랑하는 원수를 만나러 가는 날에

모든 빗방울의 이름을 외치고

투명 비닐우산 같은

나의 조그만 하늘을 펼치면 -

나는 어느 창가, 어느 화면, 어느 거울 속에서

어설프게 다른 사람의 동작을 따라 하고

부끄러운 모습으로 남의 뒤집힌 동경과 동정을 받습니다.

-「거울」 전문

"거울속에는소리가 없소/ 저렇게까지조용한세상은참없을것이오 … 나는거울속의나를근심하고진찰(診察)할수없으니퍽섭섭하오"라는 이상(1910~1937)의 「거울」을 연상케 하는 이 작품 또한 이번 시집의 가편 가운데 하나이다. 헤겔(1770~1831)이라면 거울에서 자아와 대자적 자아를 구별했겠지만, 박하은은 여기서 '동경'과 '동정'을 보았다. 애인과 원수를 동일시하는 거울의 마력을 날카롭게 보여주고 있다.

「거울」에는 젊은 영혼의 사투가 보인다. '나'를 향해 나아가는 시적 인식의 밀도가 높다. 이를 두고 독자들은 이렇게 말하리라. 더 과격해지라, 더욱 날카로워지라. "굳은살로 무장한 손들이 빚어 간/ 잔혹하고 아름다운 진짜 세계로"(「탄생」) 나아가라. 그리하여 생의 비의를 깨친 한 시적 자아가 세상을 향해 빛나는 영원의 한 편을 선사하라.

당신의 아름다운 향기는
나에게 손만 뻗으면 잡히는 악몽과도 같아요.

다른 사람들과
다른 곳에서 즐겁게 웃으면서도
당신의 달콤했던 사랑이 생각나
난 오늘도 어쩔 수 없이
쓴 눈물을 핥을 수밖에 없습니다.

당신이 떠난 후에야
당신의 발자국을 쫓는다는 것이 부끄럽지만

그럼에도 불구하고 내가 노래를 부를 수 있게
허락해 주세요
천상에 닿을 만큼 높고도 아름다운 노래를.

내 비수 같은 말들과 찌푸린 눈썹을 덮을
따뜻한 사랑의 말을 오늘 내가 한마디라도
할 수 있게 해주시옵소서.

-「사랑하는 이에게」 전문

괴롭고 아름다운 순간들이 보인다, '벌써'!

향기가 악몽이 되고, 웃으면서도 눈물을 핥을 수밖에 없는 한 영혼이 보인다. '노래'를 부를 수 있게 허락해 달라고 간원하는 이 시인에게, 그러나 우리는 '사랑의 말'을 해달라고 간청하게 된다. 주름만 아니라 펼침을 겪으면서, 슬픔만 아니라 기쁨을 누리면서 '사랑의 노래'를 해달라고 염원하게 된다.

"저 멀리 어딘가 조그만 물결이 일고/ 네가 내 빛 속으로 미끄러져 올 때"(「앓고 싶은 바다」)를 찾는 박하은의 시편들이 더는 항구에 일렁이는 속 좁은 바다가 아니라 먼 대양을 향해 나아가기를 희망한다. 그리하여 "그곳에서 나는 나를 잃으며/ 더 진실된 당신이 됩니다"(「위치」)라고 외치는 순간이 오기를 빌고 또 빈다.

박 하 은

2007년생

2024년 MJD ICS 국제학교 졸업

제2회 시마청소년작품상 최우수상 수상

제18회 현대시문학 청소년 문학상 은상 수상

제20회 현대시문학 청소년 문학상 금상 수상

제24회 의정부 전국문학공모전 중등부 장려상 수상

제20회 한국청소년문학상 동상 수상 (문학사랑 주최)

haney0106@naver.com